Chers lecteurs et lectrices,

Je vous prie d'excuser Chester. Son comportement est tout à fait inacceptable et m'empêche d'écrire mon histoire de souris. Désolée pour tout ennui que cela pourrait causer.

Amitiés,
Mélanie Watt

Bla! Bla! Bla!

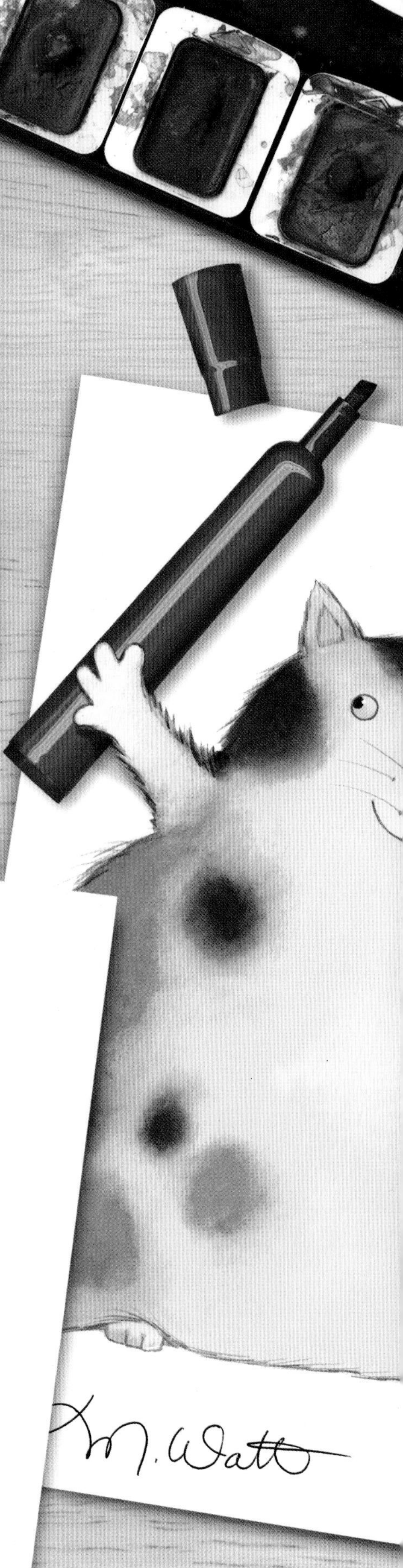

Pour Chester, à qui je dois tout le succès de ce livre.
C'est le chat le plus beau et le plus intelligent du monde.
Il est mon héros.

Édition publiée par les Éditions Scholastic,
604, rue King Ouest, Toronto (Ontario) M5V 1E1,
avec la permission de Kids Can Press Ltd.

13 12 11 10 9 Imprimé en Malaisie CP130 18 19 20 21 22

Les illustrations de ce livre sont faites au crayon et à l'aquarelle et assemblées numériquement. Le texte est composé avec la police de caractères Carnation et Kidprint.

Photo de l'auteure : Sophie Gagnon

Catalogage avant publication de Bibliothèque et Archives Canada

Watt, Mélanie, 1975-
[Chester. Français]
Chester/texte et illustrations de Mélanie Watt;
texte français de Mélanie Watt.

Traduction de l'ouvrage anglais du même titre.
Pour les 4-8 ans.

ISBN 978-0-545-99861-1

I. Titre. II. Titre : Chester. Français.

PS8645.A884C4414 2007 jC813'.6 C2007-901025-3

Chester
PAS
Écrit et illustré par Mélanie Watt

Il était une fois une souris. Elle habitait une jolie maison à la campagne.

Puis la souris décida de partir en voyage très, très, très loin!

Hasta
la vista,
Souris!

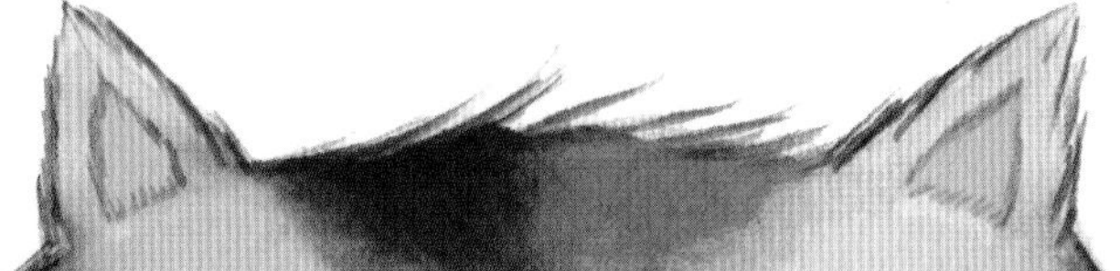

DONC, Chester s'installa dans SA nouvelle demeure et y fit quelques changements.

Vive Chester!
MES rideaux
Fauteuil de Chester

Mais bientôt, la souris rentra à la maison.

Oups! Ai-je mentionné qu'elle avait rapporté un énorme souvenir aux dents pointues?

Vive Chester!
MES rideaux
VOL DIRECT

Revenons à l'histoire.

Il était une fois une souris. Elle habitait...

Chester, dégage!

... Elle habitait une jolie maison à la campagne avec un chien végétarien qui ne mangeait que des carottes.

Puis Mélanie supplia Chester d'écrire une meilleure histoire. Et ça commence comme ceci...

Il était une fois, MOI.
Chester signifie :

Charmant
Habile dans tout
Envié par Souris
Super intelligent
Très beau
Envié par Mélanie
Roi de la beauté

Chester habitait un royaume où
les souris n'étaient pas admises.
C'était une belle journée...

No 1
CHESTER

Jusqu'à ce qu'il se mette

à pleuvoir!

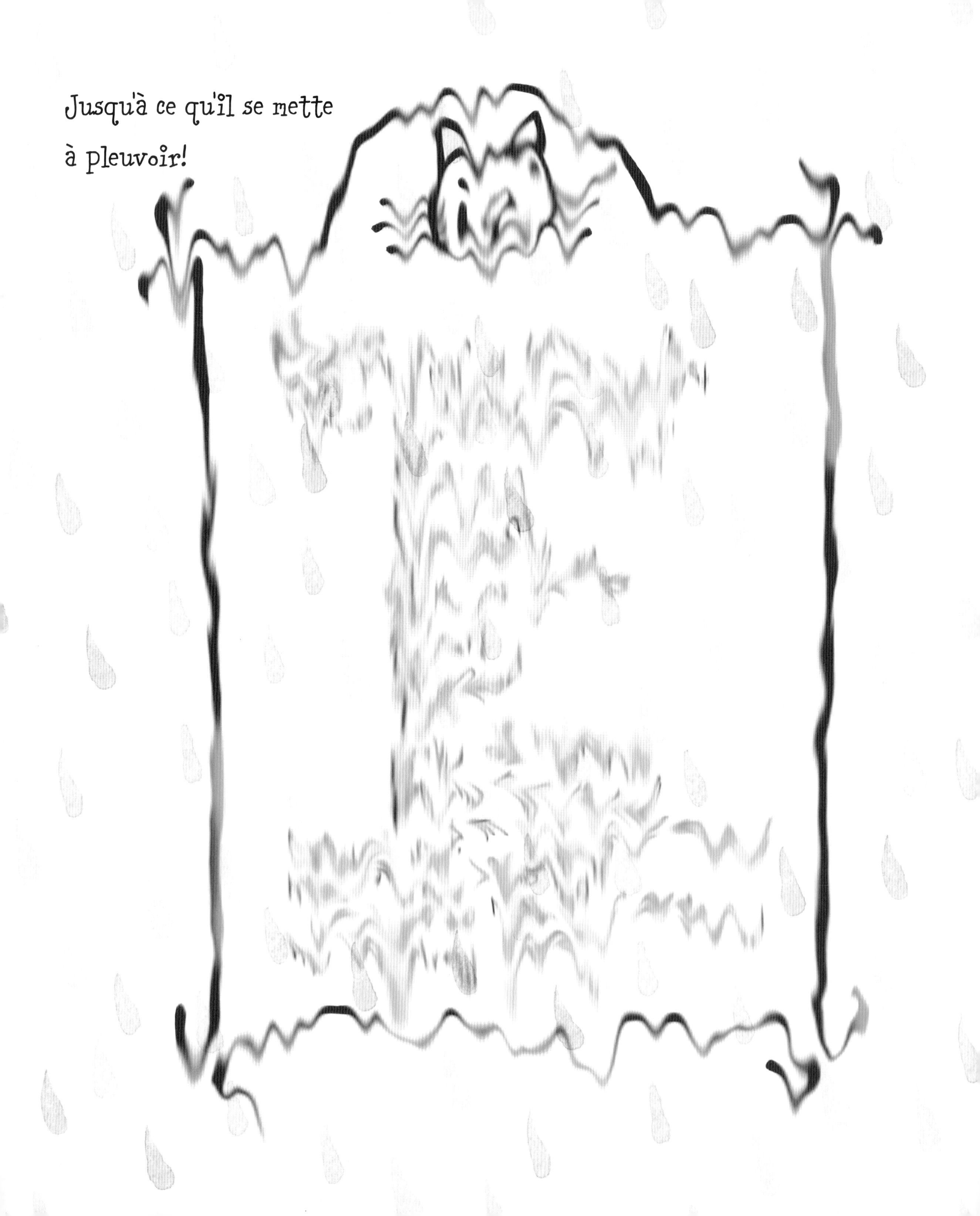

Bon, qu'est-ce que je disais déjà ?

Ah, oui...

Il était une fois une souris. Elle habitait une jolie maison à la campagne.

Et elle vécut heureuse jusqu'à
la fin des temps...

LA

FIN!
Pour qui il se prend?

Chester!

C'est ici que ça se termine!

Je tire un trait!

Non, c'est MOI qui tire un trait, ICI!

NE traversez PAS cette ligne!

GARE À VOUS!!
(Territoire de Chester)

Chester! Ça suffit!

Donne-moi ce marqueur tout de suite!

Bonjour, je suis Mélanie Watt et je suis TRÈS fâchée!
Salut, je suis ennuyante et jalouse de Chester!!!

Chester! C'est mon dernier avertissement! Donne-moi ce marqueur et excuse-toi! Je compte jusqu'à trois!

1...

2...

3 et 4, 5, 6, 7, 8, 9, 10, 11, 12,

13, 14, 15, 16, 17, 18, 19, 20, 21... La! La! La!

Parfait, Chester!

Tu veux ta propre histoire?

Tu veux être la vedette du livre?

Alors, prépare-toi, ça commence.

ENFIN!!!

Il était une fois un chat nommé Chester.
Il habitait une jolie maison à la campagne.

Vive
Chester!
THON

Chester était le plus beau de tous
les chats. Surtout lorsqu'il était
vêtu d'un magnifique...

TU N'OSERAIS PAS!!!

...tutu!

Ça, ça va te coûter cher!

ctrices,
ser Chester.
tout à fait
récrire
M. Watt